中國碑帖名品 [三十四]

北魏墓志名品[三]

元楨墓志

元倪墓志

元詮墓志

元纂墓志

上海書畫出版社

前言

中華文明綿延五千餘年，文字實具第一功。從倉頡造字而雨粟鬼泣的傳説起，歷經華夏子民智慧聚集、薪火相傳，終使漢字生生不息、蔚爲壯觀。伴隨著漢字發展而成長的中國書法，基於漢字象形表意的特性，在一代又一代書寫者的努力之下，最終超越其實用意義，成爲一門世界上其他民族文字無企及的純藝術，并成爲漢文化的重要元素之一。在中國知識階層看來，書法是中國人『澄懷味象』、寓哲理於詩性的藝術最高表現方式，她净化、提升了人的精神品格，歷來被視爲『道』『器』合一。而事實上，中國書法確實包羅萬象，從孔孟釋道到各家學説，從宇宙自然到社會生活，中華文化的精粹，在其間都得到了種種反映，對漢字書寫的退化，或許是書法之道出現踟躕不前窘狀的重要原因，因此，有識之士深感傳統文化有『迷失』、『式微』之虞。書法藝術的健康發展，有賴對中國文化、藝術真諦更深刻的體認，彙聚更多的力量做更多務實的工作，這是當今從事書法工作的專業人士責無旁貸的重任。

書法無愧爲中華文化的載體。書法又推動了漢字的發展，篆、隸、草、行、真五體的嬗變和成熟，源於無數書家承前啓後，對漢字美的不懈追求，多樣的書家風格，則愈加顯示出漢字的無窮活力。那些最優秀的『知行合一』的書法家們是中華智慧的實踐者，他們彙成的這條書法之河印證了中華文化的發展。

因此，學習和探求書法藝術，實際上是瞭解中華文化最有效的一個途徑。歷史證明，漢字及其書法衝破了民族文化的隔閡和時空的限制，在世界文明的進程中發生了重要作用。我們堅信，在今後的文明進程中，這一獨特的藝術形式，仍將發揮出巨大的力量。然而，在當代這個社會經濟高速發展、不同文化劇烈碰撞的時期，書法也遭遇前所未有的挑戰，這其間自有種種因素，而漢字書寫的退化，或許是書法之道出現踟躕不前窘狀的重要原因。

有鑒於此，上海書畫出版社以保存、還原最優秀的書法藝術作品爲目的，承繼五十年出版傳統，出版了這套《中國碑帖名品》叢帖。該叢帖在總結本社不同時段字帖出版的資源和經驗基礎上，更加系統地觀照整個書法史的藝術進程，彙聚歷代尤其是今人對不同書體不同書家作品（包括新出土書迹）的深入研究，以書體遞變爲縱軸，以書家風格爲橫綫，遴選了書法史上最優秀的書法作品彙編成一百册，再現了中國書法史的輝煌。

爲了更方便讀者學習與品鑒，本套叢帖在文字疏解、藝術賞評諸方面做了全新的嘗試，使文字記載、釋義的屬性與書法藝術造型、審美的作用相輔相成，進一步拓展字帖的功能。同時，我們精選底本，并充分利用現代高度發展的印刷技術，精心校核，原色印刷，幾同真迹，這必將有益於臨習者更準確地體會與欣賞，以獲得學習的門徑。披覽全帙，思接千載，我們希望通過精心編撰、系統規模的出版工作，能爲當今書法藝術的弘揚和發展，起到綿薄的推進作用，以無愧祖宗留給我們的偉大遺産。

上海書畫出版社

簡介

《元桢墓志》，全稱《使持節鎮北大將軍相州刺史南安王元楨墓志銘》，北魏太和二十年（四九六）刻。正書，十七行，行十八字。志石高七十一釐米，寬七十一釐米。一九二六年夏出土於洛陽城北高溝村東南，後歸于右任先生之『鴛鴦七志齋』。今存西安碑林。此志爲元魏宗子志石中最古者。書法意態恣肆，氣勢雄奇。

本次選用之本爲朵雲軒所藏出土後于右任藏石之精拓本，係首次原色全本影印。

《元詮墓志》，全稱《魏使持節驃騎將軍冀州刺使尚書左僕射安樂王墓志銘》。北魏延昌元年（五一二）八月二十六日刻。正書，二十二行，行二十三字。志石高七十九點三釐米，寬七十六點五釐米。一九一七年出土於河南洛陽城北三十里伯樂凹村西北。曾歸常熟曾炳章、番禺陳漁春。一九六〇年爲王壯弘先生收得，現存上海博物館。書法雄勁峻險，樸茂自然。

本次選用之本與整幅皆爲朵雲軒所藏出土後精拓本，均係首次原色全本影印。

《元倪墓志》，全稱《魏故寧遠將軍敦煌鎮將元君墓志銘》。北魏正光四年（五二三）二月刻。正書，十九行，行二十二字。志石高七十四釐米，寬七十三點五釐米。民國初年出土於河南洛陽城北姚凹村，曾歸常熟曾炳章、吴興蔣穀孫、番禺陳漁春。一九六〇年爲王壯弘先生收得，現存上海博物館。書法秀逸瀟灑，圓潤典雅。

本次選用之本與整幅皆爲朵雲軒所藏出土後精拓本，均係首次原色全本影印。

《元纂墓志》，全稱《魏故持節都督恒州諸軍事安北將軍恒州刺史安平縣元公之墓志銘》，北魏孝昌元年（五二五）十一月二十日刻。正書，二十行，行二十一字。志石高七十點五釐米，寬六十九點七釐米。一九一九年出土於洛陽城北安駕溝村北。曾歸武進陶蘭泉、上虞羅振玉。今存遼寧省博物館。書法平緩舒展，端莊雍容。

本次選用之本與整幅皆爲朵雲軒所藏出土後精拓本，均係首次原色全本影印。

元楨墓志

使持節鎮北大將軍相州刺史南安王楨
恭宗之第十一子 皇上之從祖也惟王體
暉霄極列耀星華茂德基於紫墀凝操形於天
儀用能端玉河山聲金岳鎮爰在知命孝性諶
越是使庶揆歸仁帝宗佇式暨寶衡徙御太許
群言王應機響發首契 乾衷遂乃寵彰司勳
賞延金石而天不遺德宿耀淪光以太和廿年
歲在丙子八月壬辰朔二日癸巳春秋五十薨
於鄴 皇上震悼謚曰惠王瘞以彝典以其年

【整拓右半部】

十二月庚申朔廿六日乙酉窆於芒山松門已
杳玄闥將冀故刊茲幽石銘德熏爐其辭曰
帝緒昌紀懋葉昭靈浚源流崐系玉層城惟王
集慶誕耀曦明育躬紫禁秀發蘭均洋洋雅韻
遙遙淵渟矚山凝量援風烈馨巷命鳳降朱紱
早齡基牧函櫟終撫魏亭威契西黔惠結東泯
旻不錫嘏景儀墜傾鑾和歇鑾委櫬窮塋泉宮
永晦深埏長鉤敬勒玄瑾式播徽名

【整拓左半部】

使持節鎮北大將軍相
州刺史南安王楨
恭宗之第十一子
皇上之從祖也惟王體

使持節、鎮北大將軍、相／州刺史、南安王楨，／恭宗之第十一子，／皇上之從祖也。惟王體／

暉霄極，列耀星華，茂德／基於紫墀，凝操形於天／㦸。用能端玉河山，聲／金岳鎮，爰在知命，孝性諶／

霄極：天空的最高處。比喻朝廷。

㦸：同『戚』。

紫墀：殿庭的臺階。喻指朝廷。

用能：任用有才能的人。

知命：指五十歲。《論語·爲政》：『五十而知天命。』

諶：誠然，的確。

越，是使庶族歸仁，帝宗／攸式。暨寶衡徙御，大訊／群言，王應機響發，首契／乾衷，遂乃寵彰司勳，／

攸：所。

寶衡徙御：指孝文帝遷都。衡：北斗，喻指帝王之座。

訊：問。《春秋公羊傳·僖公十年》：『荀息曰：「君嘗訊臣矣。」』注：『上問下曰訊。』

應機響發，首契乾衷：孝文帝議遷都時，大臣多有反對，元楨則是首先站出來支持的人。《魏書·景穆十二王列傳下》：『後高祖南伐，楨從至洛，及議遷都，首從大計，高祖甚悅。』乾衷：皇帝的心意。

司勳：官名。《周禮》夏官之屬，主管功賞之事。

賞延金石。而天不遺德，／宿耀淪光，以太和廿年／歲在丙子八月壬辰朔／二日癸巳春秋五十薨／

太和廿年：公元四九六年。

於鄴。皇上震悼，謚曰/惠王，葬以彝典，以其年/十一月庚申朔廿六日/乙酉窆於芒山。松門已/

彝典：常典。

松門、玄闥：均喻指墓門。

杳，玄闥將蕪，故刊茲幽/石，銘德熏壚。其辭曰：/帝緒昌紀，懋業昭靈。浚/源流崐，系玉層城。惟王/

熏：通『曛』，昏暗。壚：黑硬的泥土。《說文解字》：『壚，黑剛土也。』熏壚：或又作『黃壚』，指黃泉地下。《淮南子·覽冥訓》：『上際九天，下契黃壚。』高誘注：『上與九天交接，下契至黃壚，黃泉下壚土也。』

懋業：大業。

系玉：喻指傑出的後代。系：《左思·魏都賦》：『本前修以作系。』注：『系者，胤也。』指後嗣。

層城：古代神話中崑崙山上的高城。一說是崑崙山最高峰之名。

集慶，托耀曦明。育躬紫／禁，秀發蘭坰。洋洋雅韻，／遥遥淵渟。瞻山凝量，援／風烈馨。卷命夙降，朱黻／

朱黻：同『朱紱』。爲古代上公之服。

坰：野外。《爾雅·釋地》：『林外謂之坰。』《詩經·魯頌·駉》：『在坰之野。』

淵渟：比喻人品德如淵水深沉。通常作『淵渟嶽峙』或『淵渟嶽立』。晉葛洪《抱樸子·名實》：『執經衡門，淵渟嶽立，寧潔身以守滯，恥脅肩以苟合。』

旻：天。錫：通『賜』。嘏：長壽。旻不錫嘏：上天沒有賜給他長壽。

轡：同『轡』。歇轡：指歇馬停車。此處比喻去世。

景儀：身影和儀容。景：通『影』。櫬：棺材。

鑾和：亦作『和鸞』，本指古代車上的鈴鐺。掛在車前橫木上稱『和』，掛在軾首或車架上稱『鸞』。《詩經·小雅·蓼蕭》：『和鸞雝雝，萬福攸同。』此處代指車。毛傳：『在軾曰和，在鑣曰鸞。』

早齡。基牧豳櫟，終撫魏／亭。威愸西黔，惠結東泯。／旻不錫嘏，景儀墜傾。鑾／和歇轡，委櫬窮塋。泉宮／

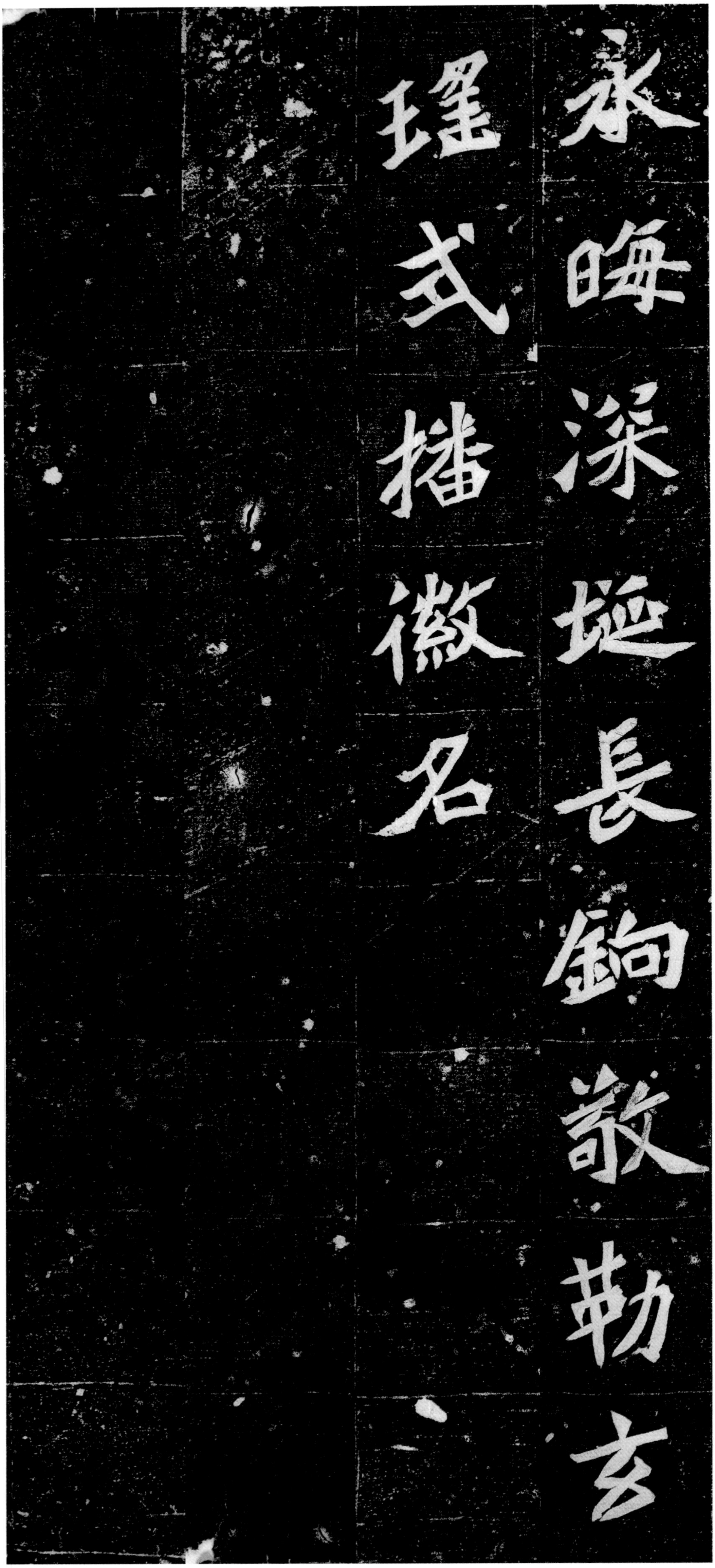
永晦深埏長鍋敬勒玄
瑶式播徽名

永晦，深埏長鍋。敬勒玄／瑶，式播徽名。／

玄瑶：黑色的玉石，指墓志石。

鍋：同『扃』，關門，閉門。

元詮墓志

魏使持節驃騎將軍冀州刺史尚書左僕射安樂王墓誌銘
王諱詮字休賢高宗文成皇帝之孫大司馬公安樂王之子
少襲王爵加征西大將軍尋拜光爵又以本官領太子中庶
子及皇居徙御詔王以光爵領員外散騎常侍賫銅虎符馳
傳往代申勞留臺公卿奉迎七廟頃之勅兼侍中尋除持節
督涼州諸軍事冠軍將軍涼州刺史尋又進號平西將軍正
始之中南寇侵境詔王使持節都督南討諸軍事平南將軍
攻圍鍾離以振旅之功除使持節都督定州諸軍事平北將
軍定州刺史歲屬災饉王乃開公廩捨秩粟數百万斛以饟
飢民元愉治天王忠誠首告表請親征勅王都督定瀛二州
諸軍事餘如故氛霧尅清除侍中又以安社稷之勳除尚書

【整拓右半部】

左僕射增封三百戶春秋卅有六永平五年太歲壬辰三月
廿八日戊午遘疾薨于第詔賜東園祕器朝服一具絹布七
百匹禮也追贈使持節驃騎將軍冀州刺史僕射王如故謚
曰武康粵八月廿六日甲申窆于河陰縣西芒山
精緯昞靈蘭殖帝庭是惟盛德有顗其馨玄猷岳峻雅量川
渟堂堂武略煥煥文經纓紱兩禁衛組二蕃金鏘玉響秋鏡
春暄重加惠弁冕撫寅軒彝倫式序海水澄源允膺納禁且
既賓門報施徒聞仁壽誰覿一夢兩楹長淪七尺痛纏樞扆
哀震衢陌逝哉夕菴迁矣晨烏龜筮襲吉毀蹕戒途哀笳北
轉楚挽西徂美高既掩蘭缸已滅泉夜冥冥松飈肙肙天地
長久陵谷或虧惟功與德不朽傳斯

【整拓左半部】

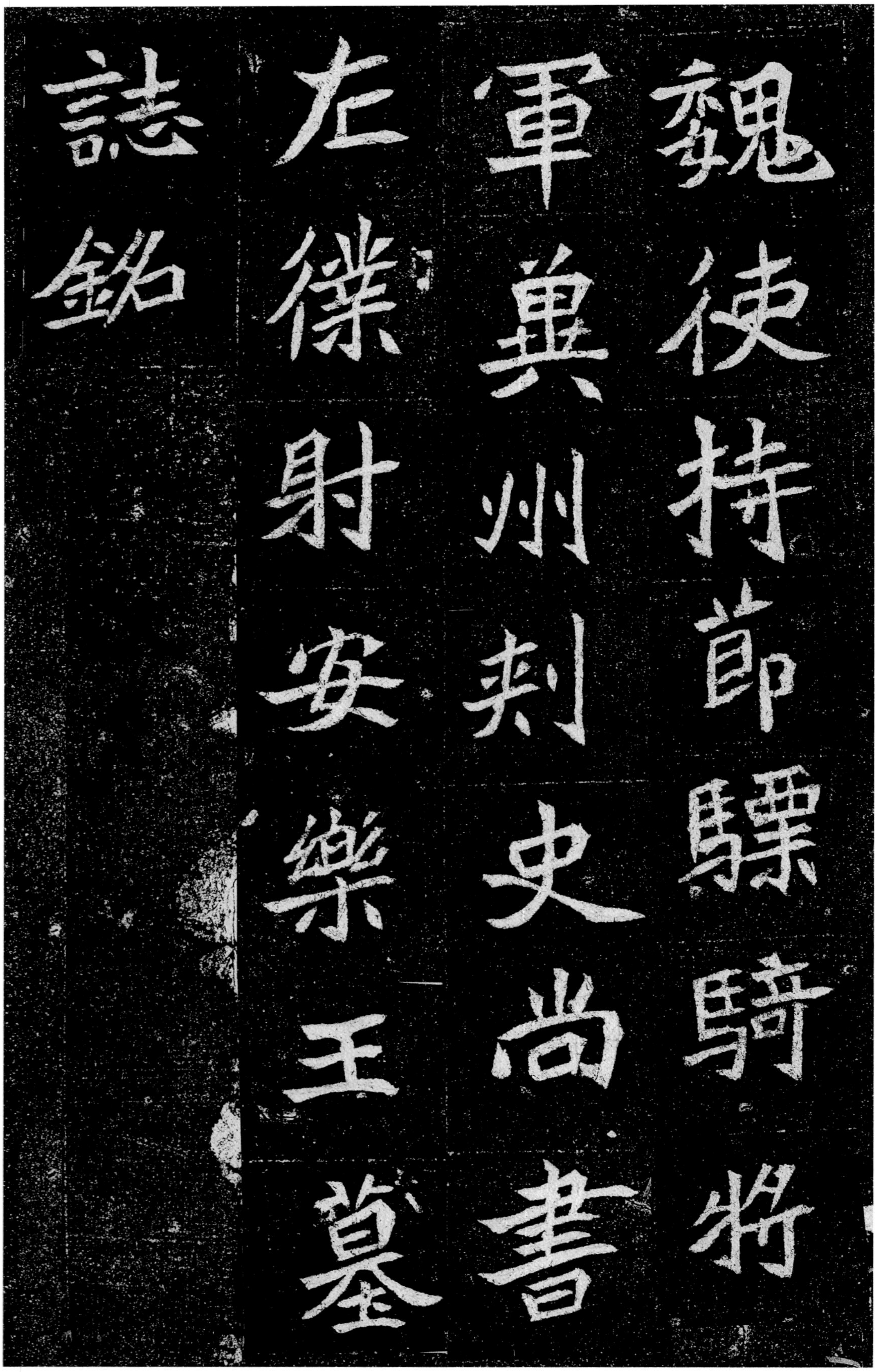

魏使持節驃騎將／軍冀州刺史尚書／左僕射安樂王墓／志銘。／

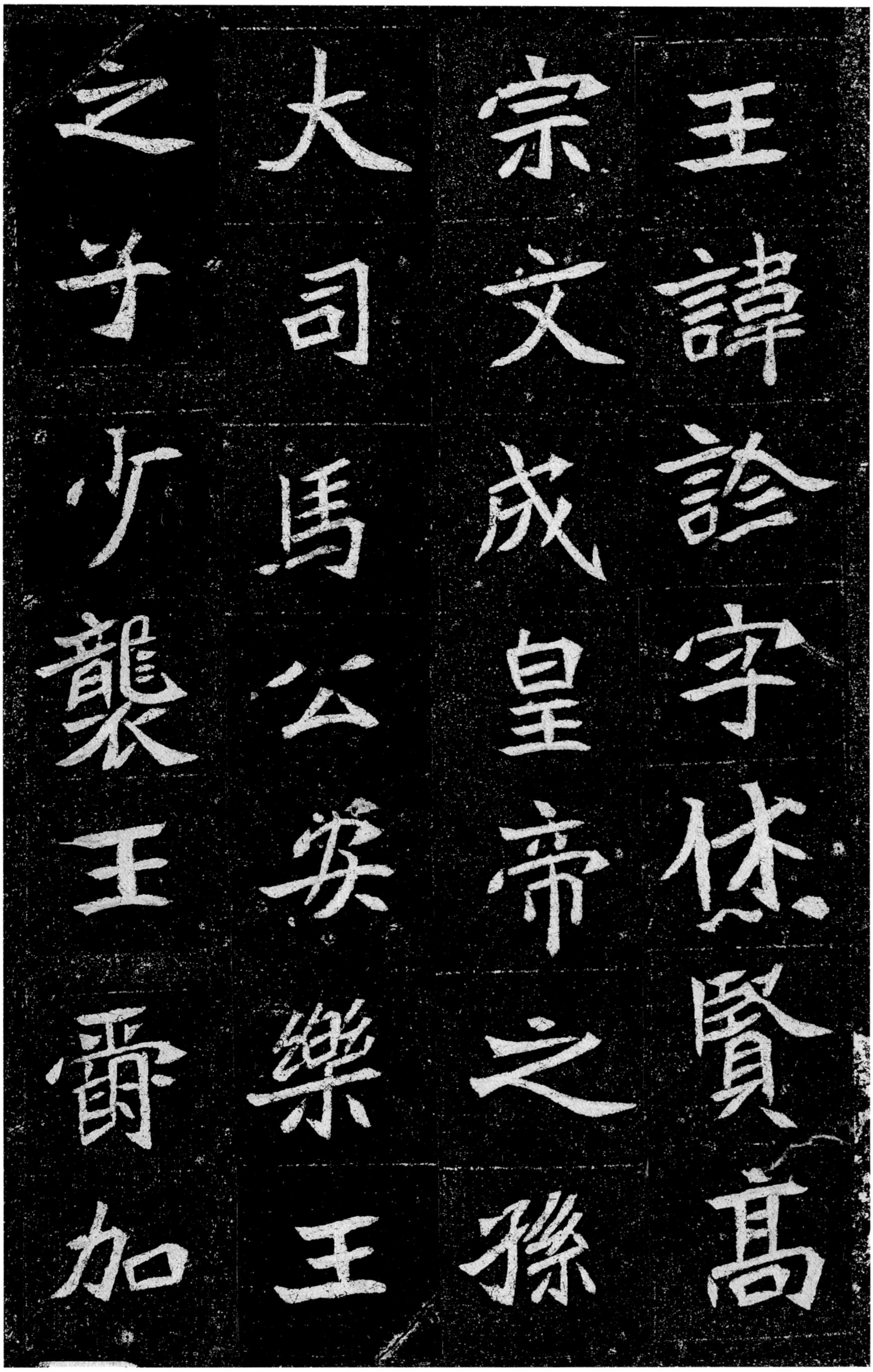

王諱詮，字休賢，高／宗文成皇帝之孫，／大司馬公安樂王／之子。少襲王爵，加／

元詮：傳見《魏書》卷二十《文成五王列傳》：『（安樂王長樂）子詮，字搜賢，襲。世宗初，爲涼州刺史。在州貪穢，政以賄成。後除定州刺史。及京兆王愉之反，詐言國變。在北州鎮咸疑朝廷有釁，遣使覘詮動静。詮具以狀告，州鎮帖然。愉奔信都，詮與李平、高殖等四面攻燒，愉突門而出。尋除侍中，兼以首告之功，除尚書左僕射。薨，謚曰武康。』按：史傳言『字搜賢』，墓志言『字休賢』，當以墓志爲正。

高宗文成皇帝：即拓跋濬（四四〇至四六五），北魏太武帝（世祖拓跋燾）的孫子，拓跋晃長子，孝文帝的祖父。

安樂王：即拓跋長樂（？至四七九），景穆帝拓跋晃之孫，文成帝拓跋濬之次子，獻文帝拓跋弘之弟。傳見《魏書·文成五王列傳》。

皇居徙御：指太和十八年（四九三）孝文帝拓跋宏排除鮮卑舊貴族和保守勢力的反對，把都城從平城遷至洛陽的事件。

征西大将軍尋拜
光爵又以本官領
太子中庶子及皇
居徙御詔王以光

征西大將軍，尋拜／光爵，又以本官領／太子中庶子。及皇／居徙御，詔王以光／

賚：同『賫』。攜帶，持。

代：北魏先祖居住地區稱『代』，又稱『恒代』，就是北魏遷都洛陽之後的朔州黄河以東和恒州地區。

留臺：王朝遷都後，留置於舊都之官署，相當於留都。

七廟：帝王供奉祖先的宗廟，供奉太祖及三昭三穆共七代祖先。見《禮記·王制》。

爵領員外散騎常／侍，賚銅虎符，馳傳／往代，申勞留臺公／卿，奉迎七廟。須之，／

勑兼侍中尋除持
節督涼州諸軍事
冠軍將軍涼州刺
史尋又進号平西

敕兼侍中，尋除持／節督涼州諸軍事、／冠軍將軍、涼州刺／史，尋又進號平西／

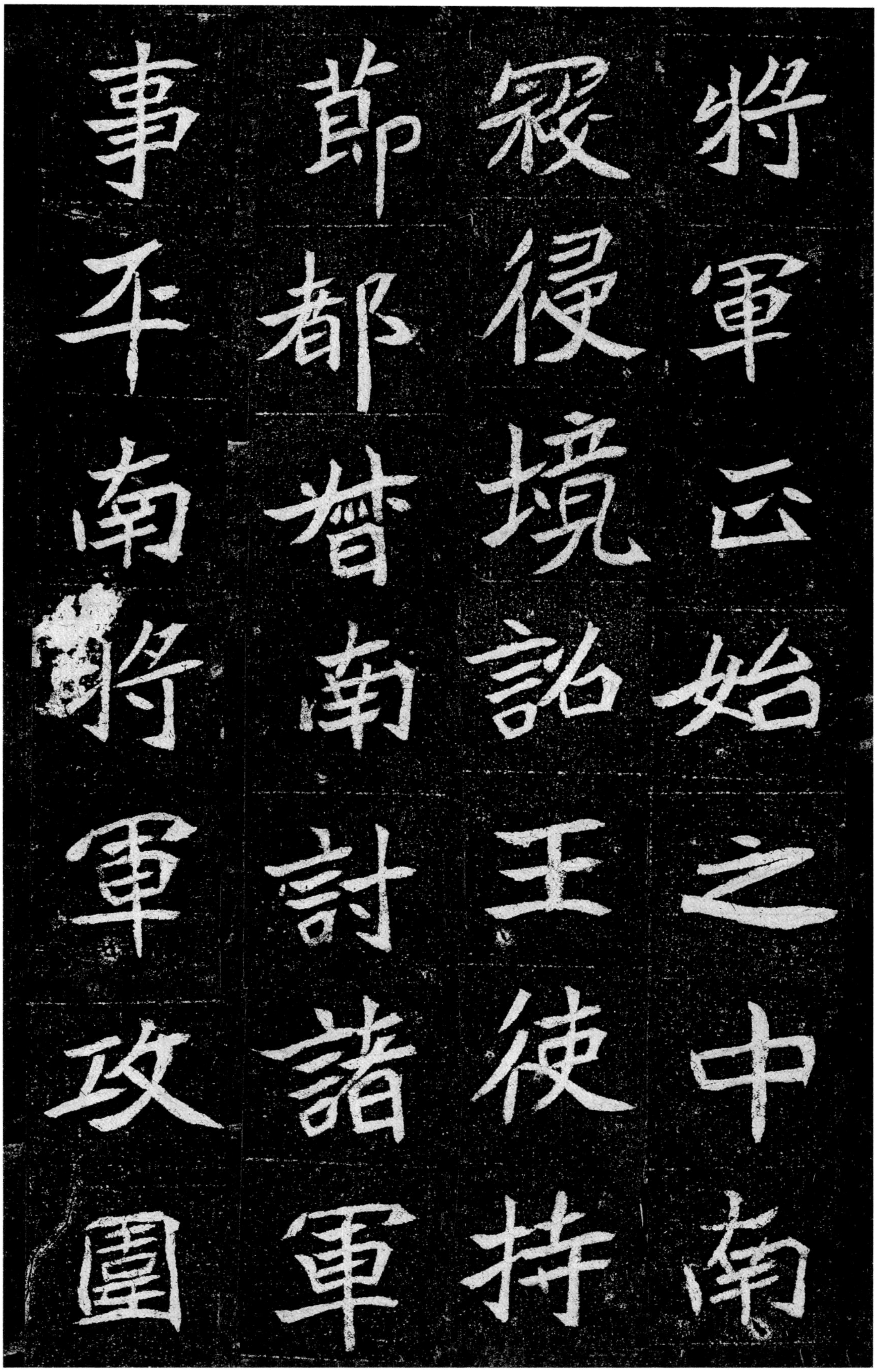

將軍。正始之中，南／寇侵境，詔王使持／節都督南討諸軍／事、平南將軍，攻圍／

振旅：整隊班師。《詩經·小雅·采芑》：『伐鼓淵淵，振旅闐闐。』

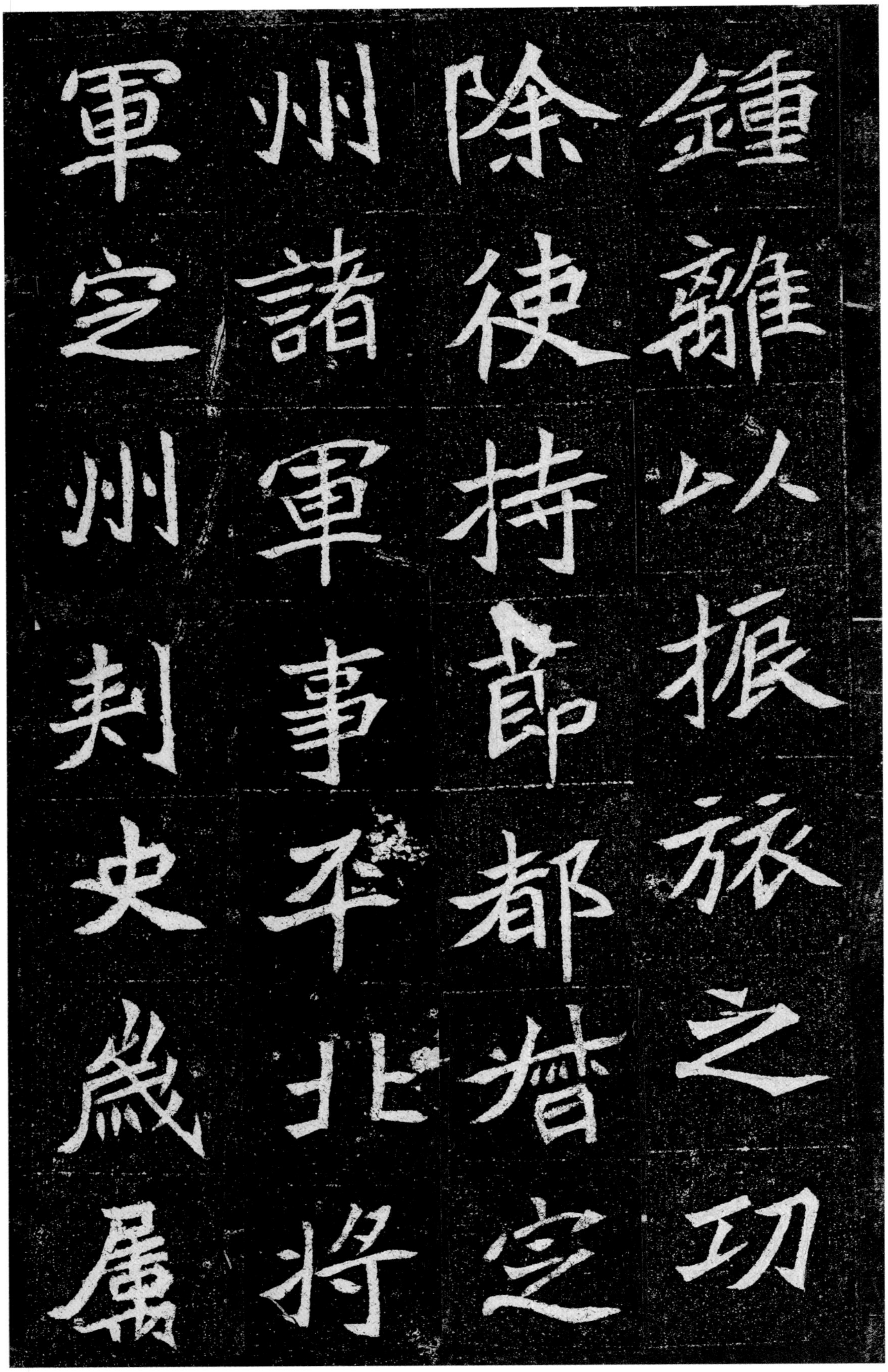

鍾離。以振旅之功，/除使持節都督定/州諸軍事、平北將/軍、定州刺史。歲屬/

灾饉，王乃開公廪，／捨秩粟數百萬斛，／以饟飢民。元愉滔／天，王忠誠首告，表／

秩粟：官吏的俸禄。古以穀物爲俸禄的計量單位。

饟：給養，供奉糧食。

元愉（四八八至五〇八）：字宣德，北魏孝文帝元宏第三子，北魏僭號皇帝。太和二十一年（四九七）封京兆王。正始五年（五〇八）八月，元愉宣稱宣武帝被權臣高肇所殺，據冀州稱帝，國號『魏』，改元建平，立楊氏爲皇后。法曹參軍崔伯驥不從，愉殺之。在北州鎮皆疑魏朝有變，定州刺史安樂王詮具以狀告之，州鎮乃安。魏以尚書李平爲都督北討諸軍、行冀州事以討愉。九月，元愉被俘獲，押送京師途中自縊而死。西魏時，追謚元愉爲文景皇帝。

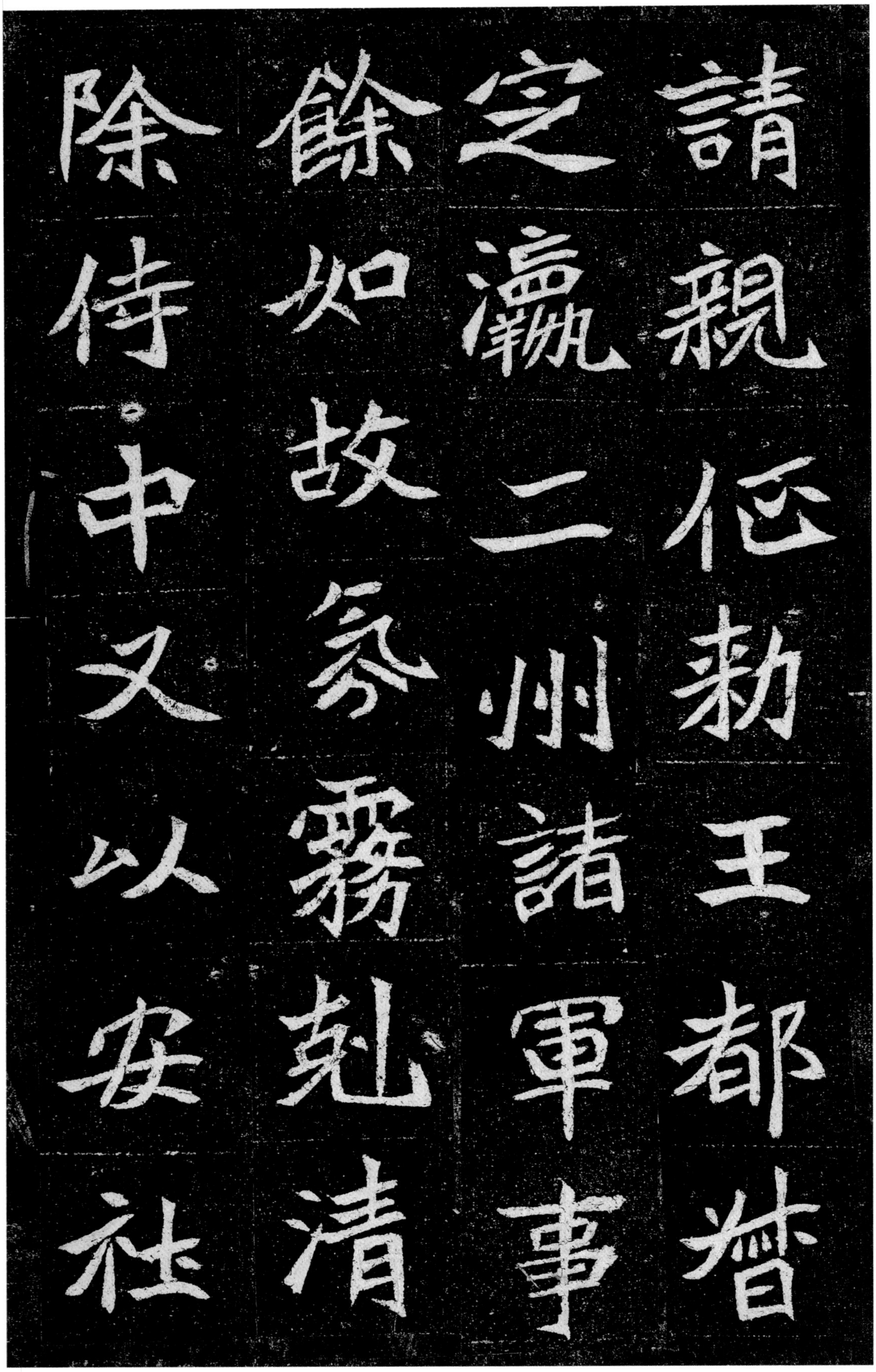

請親征。敕王都督／定瀛二州諸軍事，／餘如故。氛霧克清，／除侍中。又以安社／

稷之勳除尚書左
僕射增封三百戶
春秋卅有六永平
五年太歲壬辰三

稷之勳，除尚書左／僕射，增封三百户。／春秋卅有六，永平／五年太歲壬辰三／

東園：官署名。秦漢置。掌管陵墓内器物、葬具的製造與供應，屬少府。東園秘器：指東園製作的皇室、顯宦死後用的葬具。

月廿八日戊午遘／疾薨於第。詔賜東／園秘器，朝服一具，／絹布七百匹，禮也。／

追贈使持節、驃騎/將軍、冀州刺史，僕/射、王如故，謚曰武/康。粤八月廿六日/

粤：發語詞。窆：下葬。

精：日月之光。《呂氏春秋·圜道》：『精行四時。』高誘注：『精，日月之光明也。』緯：指行星。《西京賦》：『五緯相汁（「汁」通「協」）。』注：『五星也。』

昞靈：光明燦爛。

殖：通『植』。

甲申窆於河陰縣／西芒山。／精緯昞靈，蘭殖帝／庭。是惟盛德，有馥／

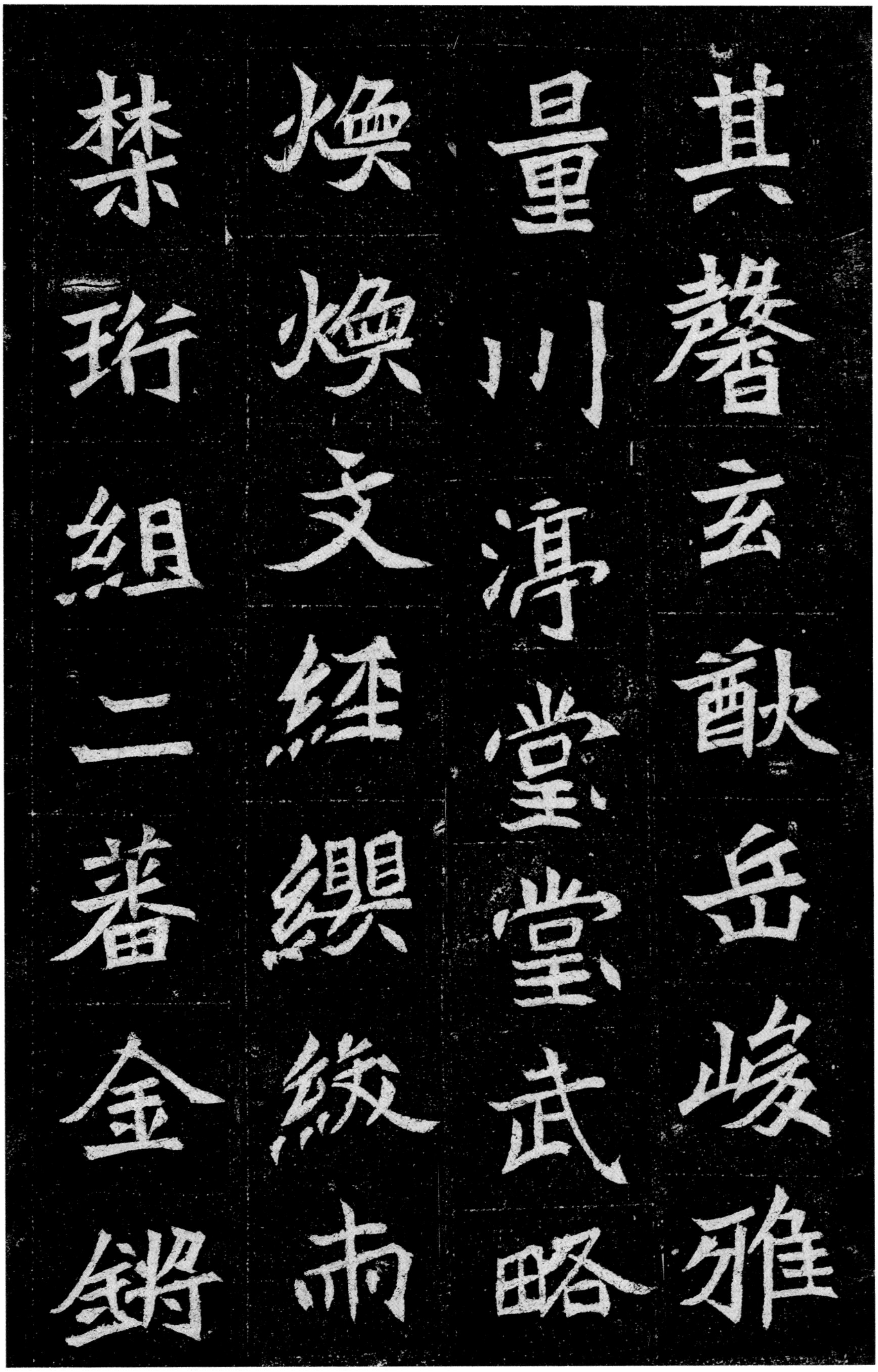

其馨。玄猷岳峻，雅／量川渟。堂堂武略，／煥煥文經。纓紱兩／禁，珩組二蕃。金鏘／

玄猷：卓越的謀略和功績。

川渟：水深廣。

纓紱：冠帶與印綬。借指爲官。

珩組：繫佩玉的組綬，有官位者的佩飾。代指官位。

秋鏡春暄：秋明如鏡，春日温暖。

玉響，秋鏡春暄。重／加惠弁，再撫寅軒。／彝倫式序，海水澄／源。允膺納籙，且既／

覿：相見。

一夢兩楹：典出《禮記·檀弓上》。言孔子夢見自己坐在兩楹之間而見饋食，知道自己不久於人世，寢疾七日而歿。後遂爲指人死的典故。

樞扆：指門庭之内。樞：門的轉軸。扆：宫殿内設在門和窗之間的大屏風。

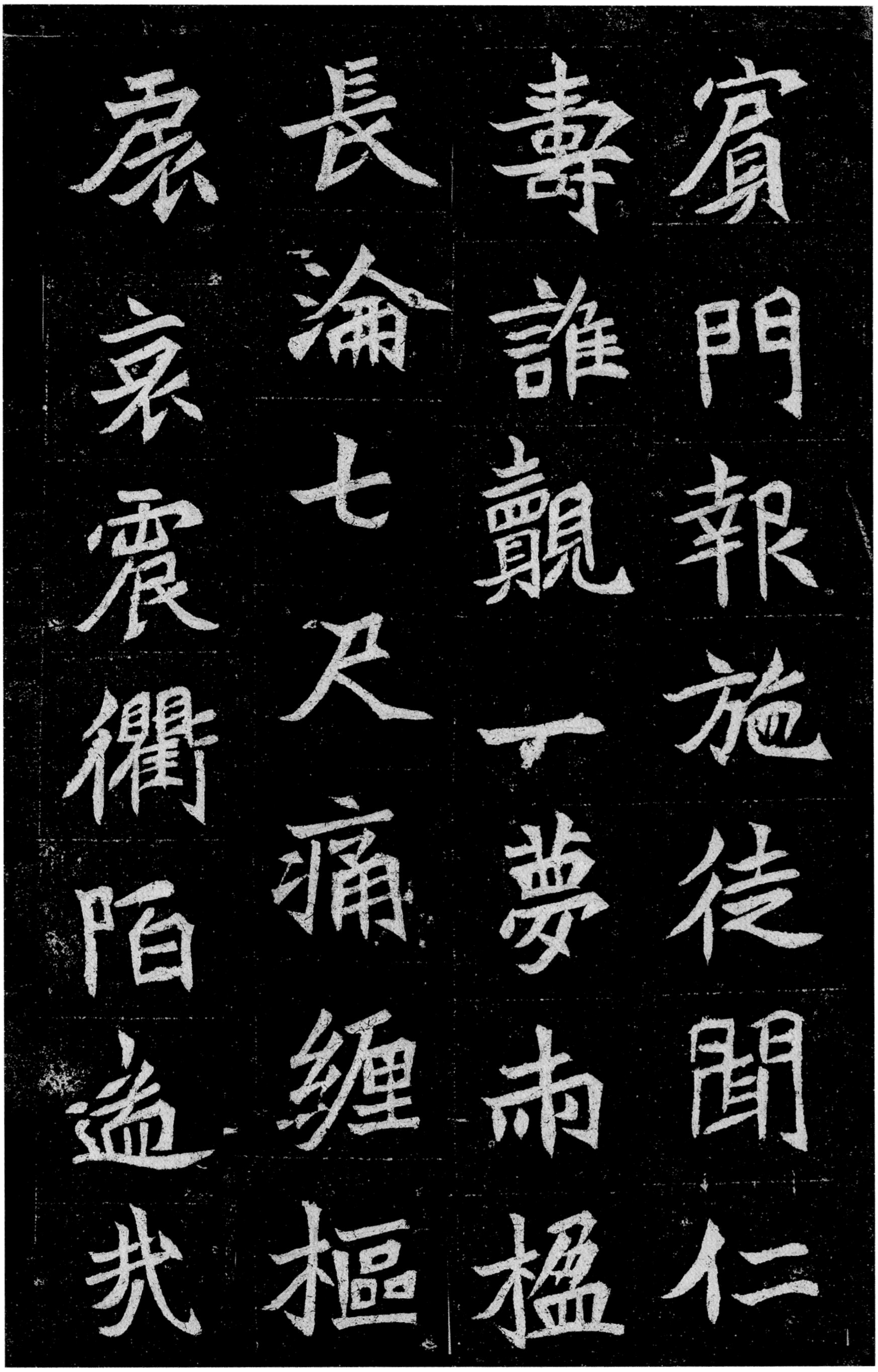

賓門。報施徒聞，仁／壽誰覿。一夢兩楹，／長淪七尺。痛纏樞／扆，哀震衢陌。遄哉／

菟：通『兔』，夕菟：即夜月。古代神話謂月中有兔，故用爲月亮的代稱。

晨烏：早晨的太陽。古代神話傳説日中有三足烏。

躉：同『躐』。毀躐：殷代貴族的一種葬禮。謂靈柩經過行（路神）壇，如生時祈求途中安穩。語出《禮記·檀弓上》：『及葬，毀宗躐行，出於大門，殷道也。』

戒途：出發，準備上路。

羨扃：墓門。羨：通『埏』，指墓道。

蘭釭：燃蘭膏的燈。此指葬禮中的所點神燈。

夕菟迅矣晨烏龜筵襲吉毀躉戒途哀笳北轉楚挽西徂羨扃既掩蘭釭

夕菟，迅矣晨烏。龜／筵襲吉，毀躉戒途。／哀笳北轉，楚挽西／徂。羨扃既掩，蘭釭／

颸：疾風。屑屑：象聲詞。

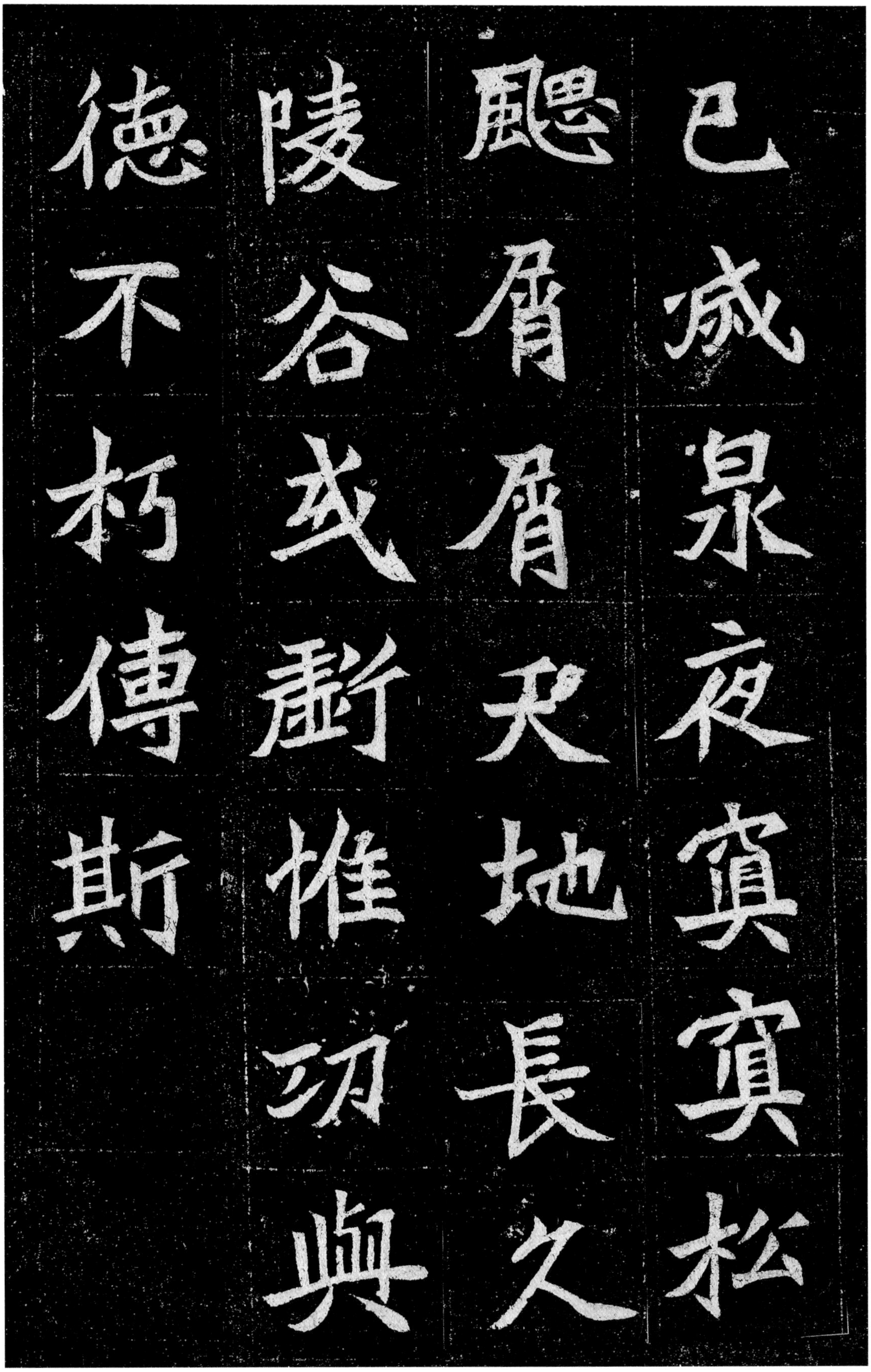

已滅。泉夜冥冥，松／颸屑屑。天地長久，／陵谷或虧。惟功與／德，不朽傳斯。／

元倪墓志

魏故寧遠將軍燉煌鎮將元君墓誌銘
君諱倪字世獮司州河南郡洛陽縣都鄉照明里人
太祖道武　皇帝之玄孫左光祿大夫吏部尚書大宗正
卿領司宗衛將軍定州刺史南平王之第子年廿九拜員
外散騎侍郎太和廿一年二月寢疾卒於洛陽照明里宅
蒙贈寧遠將軍燉煌鎮將春秋廿四以今正光四年歲次
癸卯二月戊午朔廿七日甲申遷葬於景陵東山之陽乃
作銘曰
國靈鍾美開英　帝族載挺伊人溫其如玉　皇室千里
清高出俗匪直才拔然唯儁獨爰始入仕民譽斯盛逶虵
自公退食從政大道是遵行非由徑德音式昭明心克鏡

【整拓右半部】

一世百齡登之者罕命有隨遭壽亦脩短歲路未央遐年
詎滿之子離災生塗中斷貴賤同盡熟異王孫埋靈藏識
委魄荒原人鄉稍遠鬼穸長昏鐫聲金石用慰沈魂
高祖道武　皇帝　曾祖廣平王　祖使持節都督涼州
及西戎諸軍事領護西域校尉征西大將軍儀同三司涼
州刺史南平王謚曰康王　祖親南安姚氏萬年縣君伯
之次　父左光祿大夫吏部尚書大宗正卿領司宗衛將
軍定州刺史南平王謚曰安王　母太原王氏謚曰恭妃

【整拓左半部】

魏故寧遠將軍燉／煌鎮將元君墓志／銘。／君諱倪，字世弼，司／

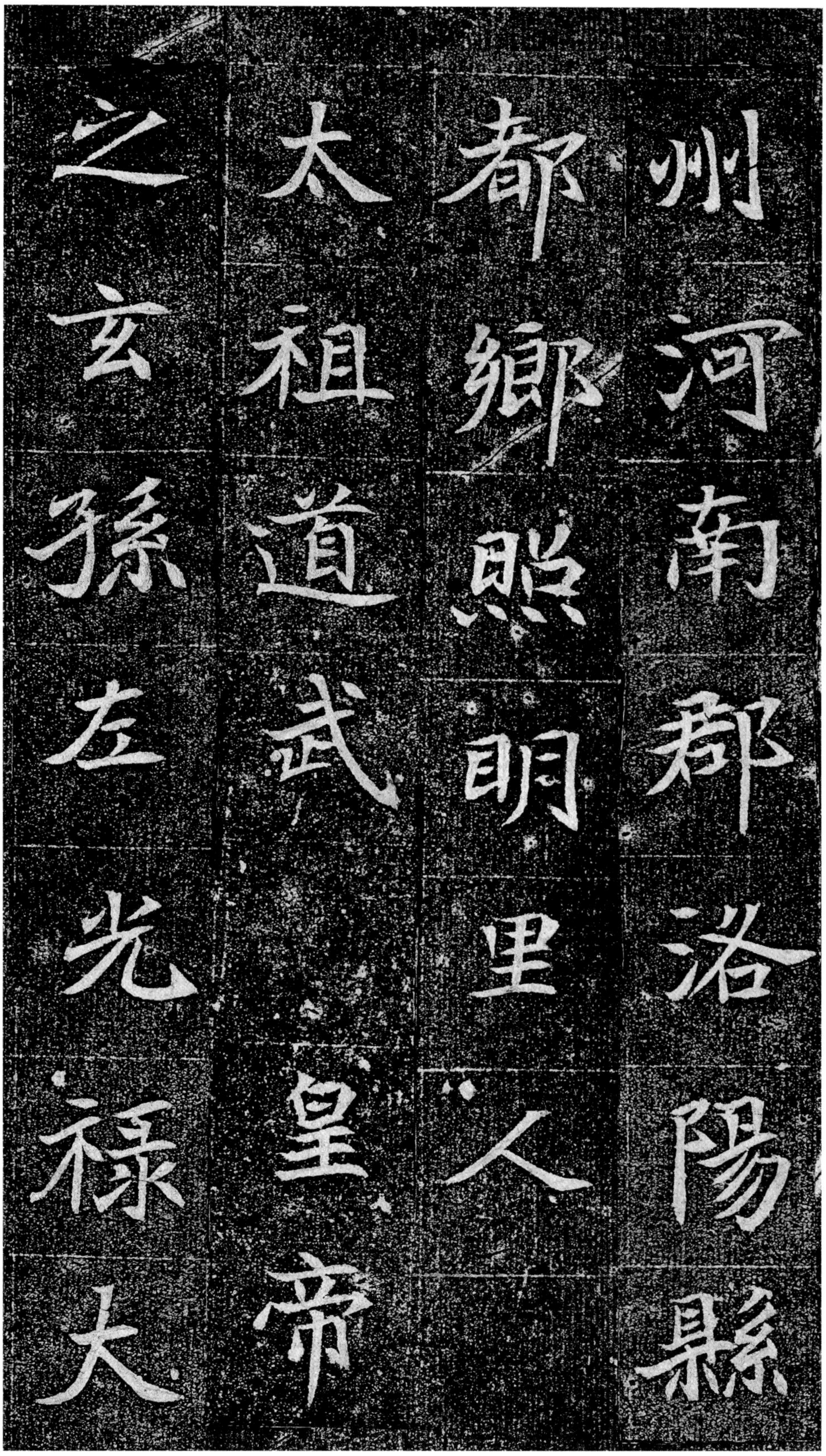

州河南郡洛陽縣／都鄉照明里人。／太祖道武皇帝／之玄孫，左光禄大／

太祖道武皇帝：北魏開國皇帝，拓跋珪（三七一至四〇九）。

南平王：拓跋飛龍（？至四九三），後賜名霄。按，太和二十年（四九六）北魏改拓跋爲元姓，故後世亦稱元霄。傳見《魏書》卷十六《道武七王列傳》。

叔子：第三子。『叔』在兄弟排行第三，即：伯、仲、叔、季。按：據墓志與史書可知，元倪是元霄第三子，伯仲間排列是：長纂、次繼、次倪、次羅侯。其他三人皆見於史傳，唯元倪早世，故不見載。

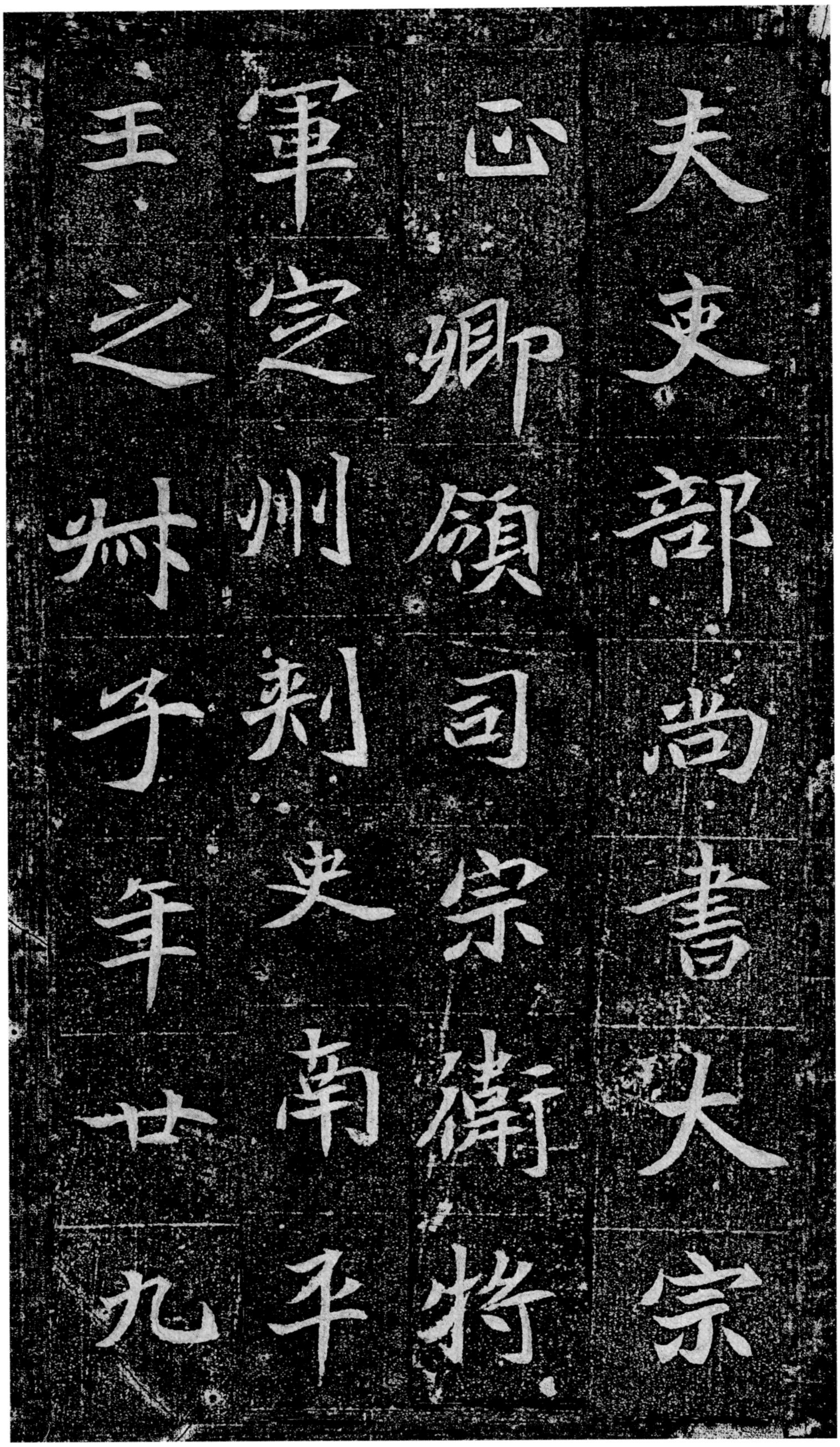

夫、吏部尚書、大宗／正卿、領司宗衛將／軍、定州刺史、南平／王之叔子。年廿九／

寢疾：卧病。

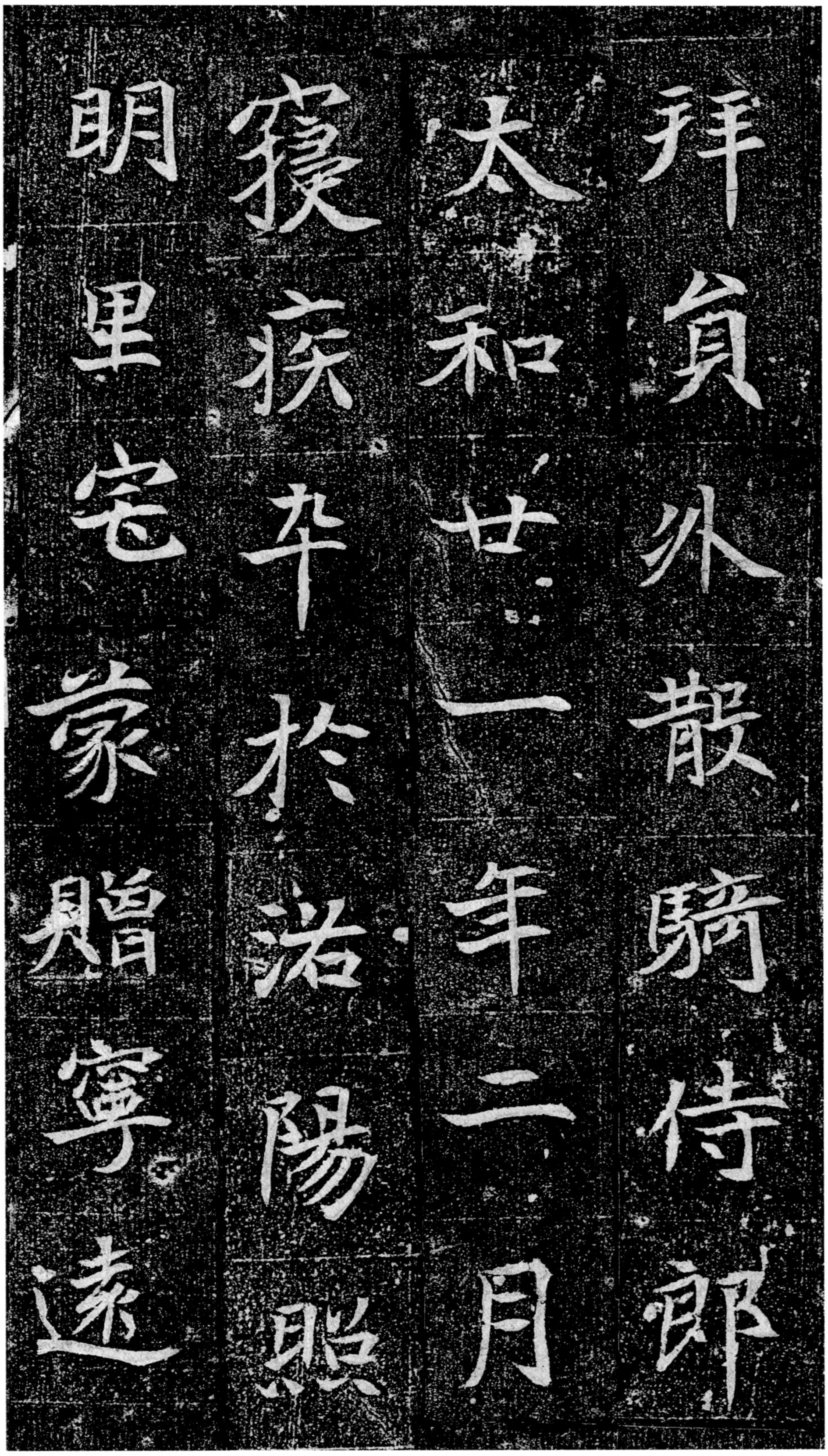
拜貟外散騎侍郎
太和廿一年二月
寢疾卒於洛陽照
明里宅蒙贈寧遠

拜員外散騎侍郎。/太和廿一年二月/寢疾卒於洛陽照/明里宅，蒙贈寧遠/

將軍燉煌鎮將春
秋卅四以今正光
四年歲次癸卯二
月戊午朔廿七日

將軍、燉煌鎮將，春／秋卅四。以今正光／四年歲次癸卯二／月戊午朔廿七日／

景陵：北魏宣武帝墓，又名宣武陵，在今河南省洛陽市東北北邙山。

甲申遷葬於景陵／東山之陽，乃作銘／曰：／國靈鍾美，開英／

載挺：形容人才秀美出衆。載：語助詞，嵌在動詞前邊。

温其如玉：形容君子有如玉一般温潤的美德。語出《詩經·秦風·小戎》：『言念君子，温其如玉。』

匪直：不僅僅，不只。

才孤：才華無雙。

帝族載挺伊人温
其如玉皇室千
里清高出俗匪直
才孤亦唯儁獨爰

帝族。載挺伊人，温／其如玉。皇室千／里，清高出俗。匪直／才孤，亦唯儁獨。爰／

始入仕，民譽斯盛。/逶蛇自公，退食從/政。大道是遵，行非/由徑。德音式昭，明/

逶蛇自公，退食從政：形容官吏節儉奉公的典故。語出《詩經·召南·羔羊》：『退食自公，委蛇委蛇。』

行非由徑：通常解釋爲不行正道或行爲不正。語出《論語·雍也》：『有澹台滅明者，行不由徑。非公事，未嘗至於偃之室也。』此處當指行爲正直，不入小道。與通常解釋不同。徑：小道。

德音式昭：發揚有德者的聲名。式：用；昭：明。

克：能。鏡：照。

命有隨遭：死生由命，難免不測的遭遇。

詎：未。

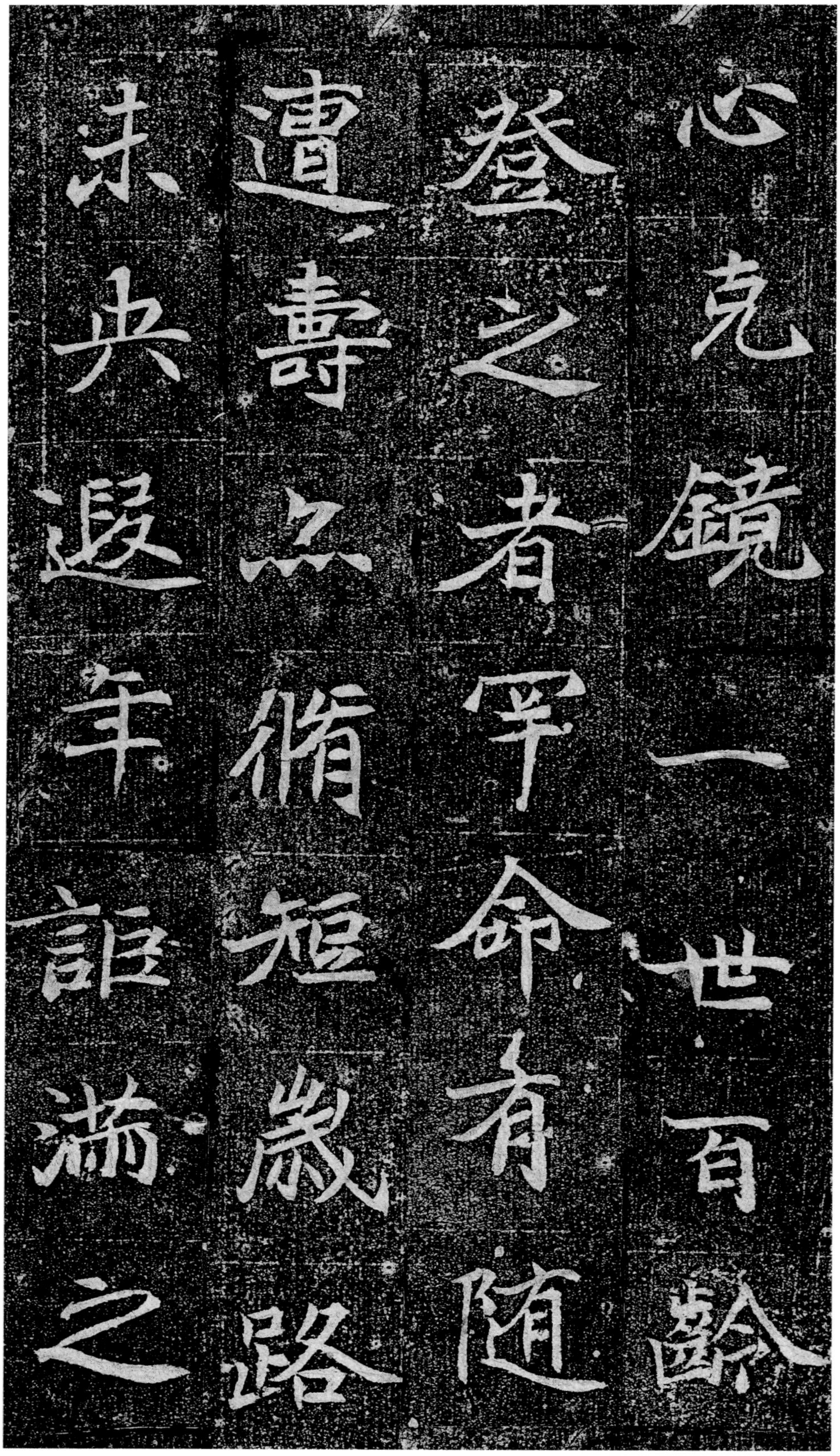

心克鏡。一世百齡，／登之者罕。命有隨／遭，壽亦脩短。歲路／未央，遐年詎滿。之／

子離灾，生塗中斷。／貴賤同盡，熟異王／孫。埋靈滅識，委魄／荒原。人鄉稍遠，鬼／

離：通「罹」。遭遇。

熟：通「孰」。貴賤同盡，孰異王孫：即死亡不分貴賤，王孫公子也不能倖免。

鬼穸：鬼魂幽冥之界。穸：墓穴。

廣平王：拓跋連（？至四二六），北魏開國皇帝道武帝第七子。天賜四年（四〇七）道武帝封拓跋連爲廣平王。始光四年卒，時無後裔，太武帝爲繼其世系，下詔以陽平王拓跋熙之次子拓跋渾襲其爵位，改封南平王、加平西將軍。見《魏書·道武七王列傳》。

穸長昏。鑴聲金石，／用慰沈魂。／高祖道武皇帝。／曾祖廣平王。／

祖使持節、都督涼／州及西戎諸軍事、／領護西域校尉、征／西大將軍、儀同三／

康王：拓跋渾（？至四八七），見《魏書·道武七王列傳》。按：史傳未載拓跋渾謚號，從此碑可知謚曰康。

祖親：祖母。

司、涼州刺史、南平／王，謚曰康王。祖／親南安姚氏，萬年／縣君伯之次。父／

左光禄大夫、吏部／尚書、大宗正卿、領／司宗衛將軍、定州／刺史南平王，謚曰／

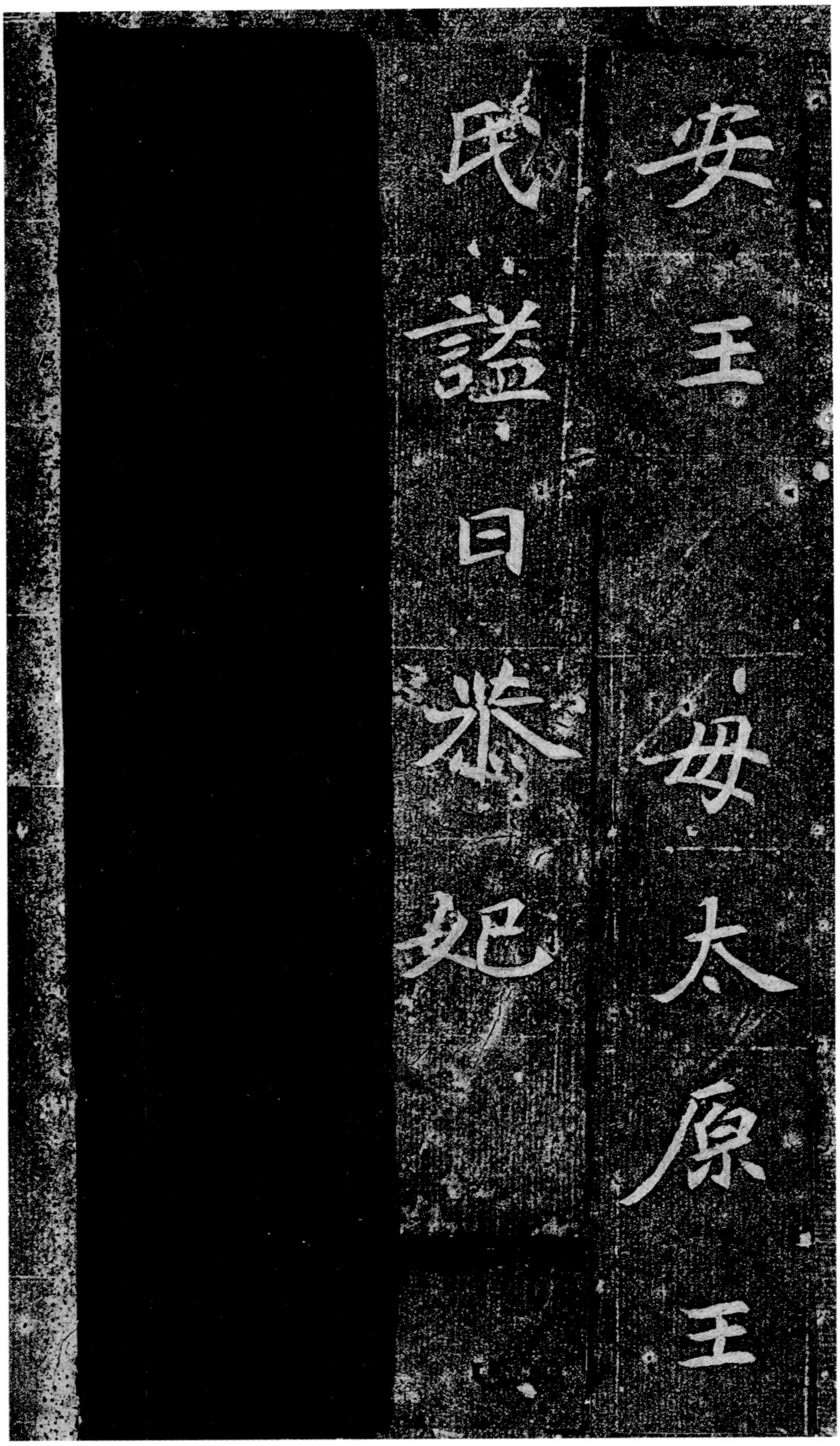
安王
母太原王
氏諡曰恭妃

安王。母太原王／氏，諡曰恭妃。／

元纂墓志

魏故持節都督恒州諸軍事安北將軍恒州刺史安平
縣元公之墓誌銘
君諱纂字紹興河南洛陽人也恭宗景穆皇帝之曾
孫開府儀同三司南安惠王之孫尚書僕射司徒公中
山獻武王之第六子折瑤枝於扶桑播番衍於商魯聲
高八龍譽踰十六君處弟之劭出繼季叔資性皎成與
松玉並質稟氣開疑奪霜金之潔少而温恭長則寬裕
信義內蔟廉讓外章雖居 帝胄容無驕色延昌中
釋褐爲司徒祭酒職采銘司賛揚五典每懷濟世之經
乃慕劉章之節正光之始胥興不建於是事去釁来尋
與禍幷 朝廷追愍贈持節都督恒州諸軍事安北將軍

【整拓右半部】

恒州刺史謚曰景公幽魂佩寵於松路虚魄乘榮而入泉嗚呼哀哉呂孝昌元年歲在鶉首十一月壬寅朔廿曰辛酉窆於獻武王塋之側勒銘玄石呂頌徃行其詞曰

分基鳳室折構龍庭垂芬 皇序承華 帝扃隆崇魯衛蕃衜巍衡雲棟峻舉惟國之經德流二八惠溶五子唯懿唯哲永光扉嗣誕性沖和淵清岳峙仁義方遠何爲舋起舋起伊何於國之機高松折彩素月沉暉日華霜勁蘭展雪飛聲留泉石體與化辭

【整拓左半部】

魏故持節、都督恒州諸／軍事、安北將軍、恒州刺／史、安平縣元公之墓志／銘。／君諱纂，字紹興，河南洛／

陽人也恭宗景穆皇
帝之曾孫開府儀同三
司南安惠王之孫尚書
僕射司徒公中山獻武
王之第六子析瑤枝於

陽人也。恭宗景穆皇／帝之曾孫，開府儀同三／司、南安惠王之孫，尚書／僕射、司徒公、中山獻武／王之第六子。析瑤枝於／

南安惠王：即元楨。見《元楨墓志》。

析：分支。

中山獻武王：即元英，字虎兒。《魏書・景穆十二王列傳下》：『子英，字虎兒，性識聰敏，博聞強記，便弓馬，解吹笛，微曉醫術。』『永平三年，英薨，給東園秘器、朝服一具、帛七百匹，贈司徒公，謚曰獻武王。英五子。』按：史載元英五子，攸、熙、誘、略、纂。又同書載：『熙異母弟義興，出後叔父并洛。』合之亦六子。

扶桑播番衍於商魯聲

高八龍嚮踰十六君處

弟之幼出繼季叔資性

皎成與松玉並質稟氣

開凝奪霜金之潔少而

扶桑，播番衍於商魯，聲／高八龍，嚮逾十六。君處／弟之幼，出繼季叔。資性／皎成，與松玉並質，稟氣／開凝，奪霜金之潔。少而／

扶桑：神話中的樹名。或指東方之國。

番衍：同『蕃衍』。此指子孫衆多。

八龍：東漢荀淑的八個兒子，皆有聲名。《後漢書·荀淑傳》：『有子八人：儉、緄、靖、燾、汪、爽、肅、

十六：指古代傳說的高陽氏的後代八愷和高辛氏的後代八元，是舜向堯推薦的十六個賢臣。因其各有大功，皆賜氏族，故稱『十六才子』、『十六相』或『十六族』。《左傳·文公十八年》：『昔高陽氏有才子八人，蒼舒、隤敳、檮戭、大臨、龍降、庭堅、仲容、叔達，……高辛氏有才子八人，伯奮、仲堪、叔獻、季仲、伯虎、仲熊、叔豹、季貍，……此十六族也，

釋褐：脱去平民的褐衣，穿上官服，喻指始任官職。

鉉司：重臣。古以『鉉台』指三公。

贊揚：發揚，顯揚。

章：通『彰』。

五典：五種倫理道德。通常指父義、母慈、兄友、弟恭，子孝。

温恭，長則寬裕，信義內／發，廉讓外章，雖居帝／冑，容無驕色。以延昌中／釋褐爲司徒祭酒，職參／鉉司，贊揚五典，每懷濟／

世之經乃纂劉章之節
正光之始肴興不建於
是事去亹來尋與禍并
朝廷追愍贈持節督恒
州諸軍事安北將軍恒

世之經，乃纂劉章之節。/正光之始，有興不建，於/是事去亹來，尋與禍並。/朝廷追愍，贈持節、督恒/州諸軍事、安北將軍、恒/

劉章：西漢初年宗室，漢高祖劉邦的孫子，呂后稱制期間被封朱虛侯，後因在誅滅呂氏的過程中有功而被加封爲城陽王。《史記·齊悼惠王世家》：『朱虛侯年二十，有氣力，忿劉氏不得職。嘗入侍高后燕飲，高后令朱虛侯劉章爲酒吏。章自請曰：「臣，將種也，請得以軍法行酒。」高后曰：「可。」……頃之，諸呂有一人醉，亡酒，章追，拔劍斬之而還，報曰：

有興不建：指元熙討伐元乂未獲成功之事。正光元年（五二〇），魏侍中元乂殺清河王元懌，禁胡太后，權傾內外。中山王元熙以討伐元乂爲名，在鄴起兵，未幾兵敗，與弟元纂和三個兒子一同被殺。事見《魏書·景穆十二王列傳下》、

尋與禍並。」《魏書·景穆十二王列傳下》：「（元纂）爲司徒祭酒。聞熙舉兵，因逃奔於鄴，至即見擒，與熙俱死。追封北平縣公，贈安北將軍、恒州刺史，改封高唐縣開國侯，食邑八百户。」

「巳」。《晉書·天文志上》：「自東井十六度至柳八度爲鶉首，於辰在未。……自柳九度至張十六度爲鶉火，於辰在午。……自張十七度至軫十一度爲鶉尾，於辰在巳。」孝昌元年（五二五）干支爲「乙巳」，故此句似應作「歲在鶉尾」爲宜。此説確否待進一步考證。

州刺史，謚曰景公。幽䰟/佩寵於松路，虛魄乘榮/而入泉。嗚呼哀哉！以孝/昌元年歲在鶉首十一/月壬寅朔廿日辛酉窆/

於獻武王塋之側勒銘
玄石以頌往行其詞曰
分基鳳室折構龍庭垂
芬皇序承華帝扃
隆崇魯衛蕃弼魏衡雲

於獻武王塋之側。勒銘／玄石，以頌往行。其詞曰：／分基鳳室，析構龍庭。垂／芬皇序，承華帝扃。／隆崇魯衛，蕃弼魏衡。雲／

棟峻舉惟國之經德流
二八惠澹五子唯懿唯
哲永光厥嗣誕性沖和
淵清岳峙仁義方遠何
爲舋起舋起伊何於國

棟峻舉，惟國之經。德流／二八，惠澹五子。唯懿唯／哲，永光厥嗣。誕性沖和，／淵清岳峙。仁義方遠，何／爲舋起。舋起伊何，於國／

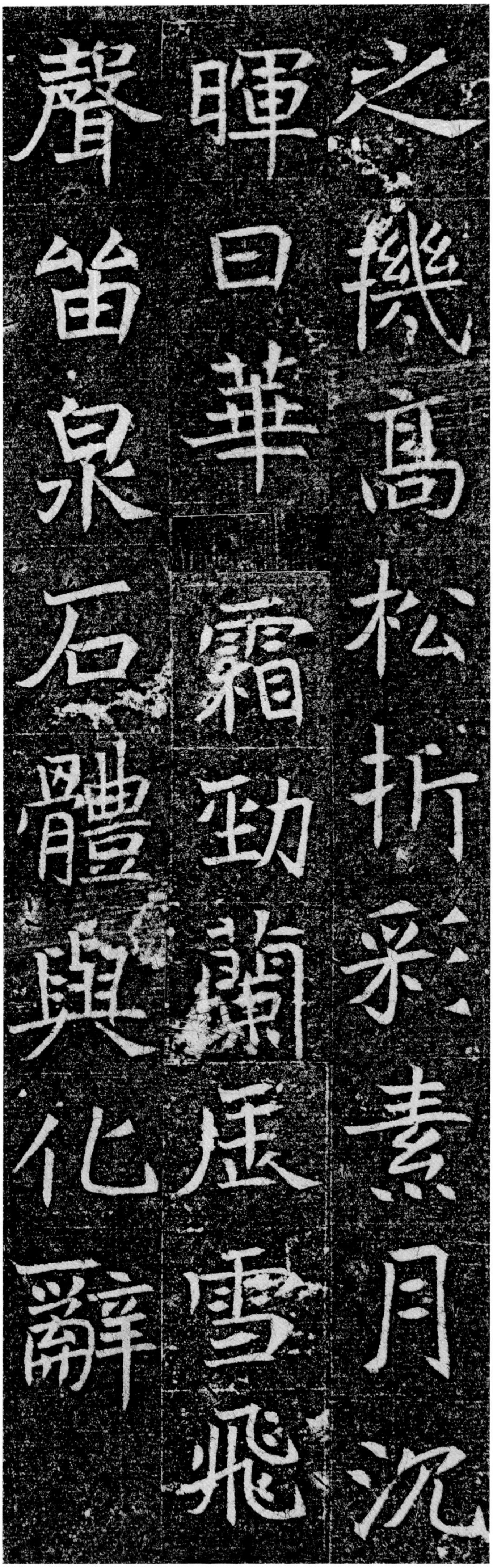

之機。高松折彩，素月沉／暉。日華霜勁，蘭辰雪飛。／聲留泉石，體與化辭。／

此志（《安樂王元詮墓志》）文字均佳，近年所出元魏諸王志，此爲之冠。

——清 羅振玉

此志（《恒州刺史元纂墓志》）書法極精，乃褚、薛之先導，故購而藏焉。

——清 羅振玉

（《元倪墓志》）風華旖旎，近開《等慈》，遠啓趙董，正光間書派，真如萬壑争流，使人目眩。乙丑正月。

——清 梁啓超《碑帖跋》

書體至元魏，如河之星宿，山之昆侖，包羅萬有，無體不精。古碣豐碑，存於天壤者，風雨摧殘，半已殘蝕。惟銘幽之文，新出土者，神采煥如發硎，無異置身正始、延昌之際。近年以來，洛下所出各魏志約百餘種，而《元顯魏》《元詮》尤爲傑出。《元顯魏》書體與《李超》極似而雋永過之。乙卯（一九一五）夏間，石出洛陽某區，常熟曾辛庵先生適宰是邑，輦至署中，珍如拱璧，拓本秘不示人。……嗣曾先生復刻一本，以應求者，幾可亂真。丁巳（一九一七）仲夏，先生解組，洛紳争此石甚力。以原石庋存古閣，載復本以去。

——清 顧燮光《夢碧簃石言》

近出元魏宗子志石，此志爲最古，字體亦勁拔無二。

——近代 趙萬里《漢魏南北朝墓志集釋·元楨墓志》

右《魏安樂王元詮墓志》，近年出土，石極完好。書法健拔，近《張猛龍》、《李超》一派。石出不久，即入藏家，椎拓極稀，鋒穎無損。以視《張》、《李》碑志，尤覺神往，北朝石刻中，允推上品。志文記詮行誼官爵，與《魏書》、《北史》悉合，而更詳備，史筆自有剪裁也。史稱詮爲涼州刺史時，『在州貪穢，政以賄成』。而志稱其爲定州刺史，『歲屬灾饉，乃開公廩，捨秩粟數萬斛，以饋飢民』。志墓之文，以諛爲主。抑其果能遷善，而志從其長耶？詮之字志作休賢，史作搜賢，或由音近而誤。志刻『詮』旁『王』字，遺其中間直畫。十四行『追贈』『贈』字，『曾』中直畫亦缺而未刻，當是迫於葬期，工出急就。石多翻本，會稽顧氏《夢碧簃石言》辨之最詳。而書作『元銓』，蓋未悟『全』字有缺筆，復誤『言』爲『金』耳。壬午冬日。

——啓功《啓功題跋書畫碑帖選》

圖書在版編目（CIP）數據

北魏墓志名品.2/上海書畫出版社編.—上海：上海書畫出版社，2013.8

（中國碑帖名品）

ISBN 978-7-5479-0652-1

Ⅰ.①北… Ⅱ.①上… Ⅲ.①楷書—碑帖—中國—北魏（439～534） Ⅳ.①J292.23

中國版本圖書館CIP數據核字（2013）第187028號

中國碑帖名品［三十四］

北魏墓志名品（二）

本社 編

責任編輯 馮 磊
釋文注釋 俞 豐
審　　定 沈培方
責任校對 郭曉霞
封面設計 王 峥
整體設計 馮 磊
技術編輯 錢勤毅

出版發行 上海書畫出版社
地址 上海市延安西路593號 200050
網址 www.shshuhua.com
E-mail shcpph@online.sh.cn
印刷 上海界龍藝術印刷有限公司
經銷 各地新華書店
開本 889×1194mm 1/12
印張 6
版次 2013年8月第1版
2021年7月第9次印刷

書號 ISBN 978-7-5479-0652-1
定價 50.00元